Lliwiau'r Gath

Jane Cabrera

Trosiad Hedd a Non ap Emlyn

Mae'r llyfr

DREF WEN

hwn yn perthyn i:

_____

_____

_____

_____

DREF WEN

Porffor

Melyn

Glas

Oren

Coch

Gwyn

Brown

Gwyrdd

Pinc

Du

Cath ydw i.

Pa un ydy fy hoff liw?

Ai Gwyrdd, tybed?
Gwyrdd ydy lliw'r glaswellt
rydw i'n hoffi cerdded arno.

Ai
Pinc,
tybed?
Pinc ydy lliw
petalau fy
hoff flodau.

Ai

Du,

tybed?
Du ydy lliw'r nos
pan fydd ystlumod
yn gwibio o gwmpas.

Ai *Coch*, tybed?
Coch ydy lliw'r
mat rydw i'n cysgu
arno o flaen y tân.

Ai *Melyn,* tybed? Melyn ydy lliw'r tywod ar y traeth heulog.

Ai Brown, tybed?
Brown ydy lliw'r pridd
lle rydw i'n gwneud tyllau.

Ai Glas, tybed?
Glas ydy lliw'r awyr pan
rydw i'n rhedeg ar ôl
yr adar.

Ai *Gwyn*, tybed?

Gwyn ydy lliw'r

cymylau yn yr awyr.

Ai *Oren*, tybed?

Ie! Achos...

Oren ydy lliw Mam.

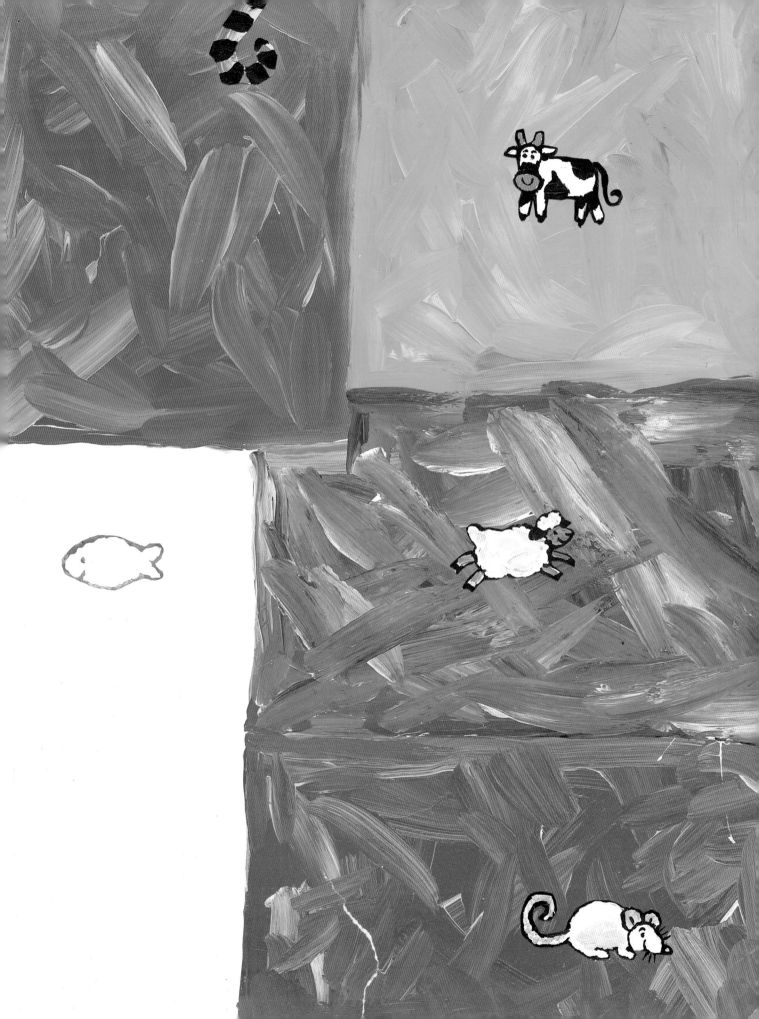